JN057360

CHOPIN *magazine* PRESENTS

POCKET SCORE

CHOPIN

XII

PIANO CONCERTOS 2

1847年　ウィンターハルター画

『ピアノ協奏曲 (PIANO CONCERTO)』

　ショパンは2曲のピアノ協奏曲を作曲しました。作曲された年はへ短調協奏曲のほうが早いのですが、初演も楽譜の出版もホ短調が先で、ホ短調協奏曲が第1番作品11、へ短調が第2番作品21となっています。

　この2つの協奏曲はどちらも若いころの作品で、ショパンはそのころ、音楽家として世に認められるためには「協奏曲」が必要だと考えていたようです。

　作曲された2曲はどちらも古典的な形式で書かれています。美しくロマンティックで、なおかつ力強さもあって技巧的。ポーランド的なリズムやメロディーも随所に見られます。

　第2番へ短調作品21は、1829～1830年に作曲されました。オーケストラの編成は、フルート、オーボエ、クラリネット、ファゴット、ホルン、トランペットが各2、トロンボーン、ティンパニ、弦5部です。

　第1楽章 (Maestoso) の演奏時間は15分ほど。第1番同様全曲の半分近くを占めています。オーケストラがへ短調と変イ長調による2つの主題を提示、続いてピアノが登場し主題に装飾をほどこします。展開部では第1主題を中心に即興的なパッセージが奏でられ、再現部では第2主題を中心にいくつもの美しいパッセージがあらわれます。

　夢見るような美しい第2楽章 (Larghetto) は、想いを寄せる女性への恋文。甘く切ない変イ長調の主題はノクターン風で、この主題は形を変えて何度も現れます。弦のトレモロをバックにユニゾンで奏でられる旋律が激しさを見せたあと、最初の主題がコーダとなって終わります。

　第3楽章 (Allegro Vivace) は、ポーランドの民族舞曲のリズムが多用されたロンド風の楽章。へ短調のクヤヴィアク風の主題と変イ長調のスケルツァンド風の主題を中心に展開していきます。スケルツァンド主題では、弦楽器が弓の背で弦をたたく「col legno」という奏法を用いるのも印象的。ホルンのファンファーレから続くコーダはへ長調となり、ピアノの技巧的で華麗なパッセージで締めくくります。

Piano Concerto 2

Op. 21

Piano Concerto 2
I.

Op. 21

8

9

14

28

37

42

II.

48

50

56

60

III.

62

64

65

67

CHOPIN *magazine* PRESENTS
POCKET SCORE

CHOPIN XII
PIANO CONCERTO 2

本シリーズは基本的にパデレフスキー版に準拠した。

2011年1月10日　初版発行

定　　価　　本体1,000円＋税
発 行 人　　内藤克洋
発 行 所　　株式会社ショパン
　　　　　　〒153-0061
　　　　　　東京都目黒区中目黒3-5-5-301
　　　　　　Tel　03-5721-5525
　　　　　　Fax　03-5721-6226
　　　　　　振替　00140-6-15241
　　　　　　http://www.chopin.co.jp

制作協力　　株式会社アルスノヴァ
印 刷 所　　モリモト印刷株式会社